Le sac à dos

Jennifer Degenhardt

For all those who lose things. May the finding of them be an adventure.

TABLE DES MATIÈRES

ACKNOWLEDGEMENTS

Françoise Piron is the person to whom I am most indebted with regards to this book. With my knowledge of romance languages (okay, Spanish and a bit of French), I wanted to attempt this translation myself. When Françoise ever said to me, "Your French is better than I anticipated," I was elated. Still, I imagine that some of the language burned holes in her retinas and mildly offended her native-speaker self. Swaz, *merci beaucoup*. I just love working with you! You can hear Madame Piron's voice reading the story on www.digilangua.co too!

Merci to Theresa Marrama, a fellow author, who helped me with the first few chapters of the text, and whose encouragement lit a fire in the appropriate places causing me to forge ahead on my own. And for her help with the glossary. *Merci* !

Thank you, too, to Jocelyn Cravens, who provided me with the drawings for the front cover. Jocelyn, a 4th grader at the time of publication, is also an author in her own right. Multitalented, she is!

Chapitre 1
Amine

Je m'appelle Amine Joseph. J'ai trente (30) ans. Je ne suis ni grand ni petit. Je ne suis pas gros non plus, mais je suis fort. J'ai les yeux bruns et les cheveux noirs.

J'habite à Shreveport, en Louisiane. Originellement, je suis de Cayenne, en Guyane française. Maintenant, j'habite aux États-Unis parce qu'il est plus facile d'y trouver du travail.

À Cayenne, j'ai beaucoup de famille. Il y a mes parents, mes deux frères et ma sœur. Ma mère s'appelle Solenn et mon père s'appelle Clément. Ma mère a cinquante (50) ans et mon père a cinquante-cinq (55) ans. Mes frères s'appellent Lucas et Jean-Philippe et ma sœur s'appelle Daria. Lucas a vingt-deux (22) ans, Jean-Philippe a dix-huit (18) ans et Daria a quinze (15) ans.

Maintenant, j'habite avec mes cousins à Shreveport. Mes cousins sont les fils de mon oncle, Robert. Il est le frère de mon père. Mes deux cousins et moi avons une entreprise. Nous peignons les maisons. L'entreprise s'appelle « Peintures Joseph ». Nous peignons beaucoup de maisons en ville. C'est bien.

Mes cousins sont aussi de Cayenne. Un des cousins s'appelle Alan. Il est plus jeune. Il a vingt-quatre (24) ans. Il est petit aussi. Il peint les parties basses des maisons. Un autre cousin s'appelle Louis. Il est plus âgé. Il a trente-et-un (31) ans. Il est grand et il peint les parties hautes des maisons. Je suis le propriétaire de l'entreprise et je peins les maisons et c'est moi qui suis responsable des contrats.

Quand je ne travaille pas, j'aime regarder des matchs de foot et j'aime le cyclisme. Les sports sont très populaires en Guyane. Je joue au foot tous les dimanches avec mes cousins et avec d'autres personnes. Je regarde aussi beaucoup de foot à la télévision. Je n'ai pas de vélo aux États-Unis, mais je regarde beaucoup de cyclisme à la télévision aussi.

J'aime la vie aux États-Unis et j'aime la vie en Guyane. Les deux endroits sont différents.

Chapitre 2
Michelle

Je m'appelle Michelle et j'ai trente-quatre (34) ans. J'ai les cheveux blonds et j'ai les yeux verts. Je suis petite, mais je suis très forte. J'aime aller au gymnase.

Je n'habite pas avec mes parents ou ma sœur. Ils habitent à Golden Glades, en Floride. Toute la famille habite en Floride. Moi, j'habite à Bâton-Rouge, en Louisiane. J'habite avec mon mari, Marc. Il a quarante (40) ans. Marc est le patron d'un restaurant créole à Bâton- Rouge. Marc aime la nourriture et il aime faire la cuisine.

Je travaille aussi. Je travaille pour FedEx. Je livre des paquets et des lettres de Bâton-Rouge a beaucoup d'autres parties de Louisiane. J'aime conduire. J'écoute de la musique dans la camionnette et j'écoute aussi des livres audio.

Je n'ai pas d'enfants, mais Marc a deux filles de son premier mariage. Elles habitent en

Haïti avec la maman de Marc. La fille la plus âgée a treize (13) ans et la fille la plus jeune a onze (11) ans. Les filles veulent habiter aux États-Unis. Elles veulent étudier dans des écoles de Bâton- Rouge.

J'aime ma vie avec Marc et j'aime visiter Haïti, quand nous pouvons y aller. Mais je veux habiter en famille, avec mon mari et ses filles.

Chapitre 3
Amine

Shreveport est une ville moyenne. Il y a approximativement 189.000 habitants. J'aime y habiter. Les gens en Louisiane sont très sympathiques et ils travaillent beaucoup. L'économie de l'état est représentée principalement par la production de pétrole, par l'agriculture et par le tourisme.

En ville, il y a beaucoup de commerces: des bureaux, des cinémas, des casinos, des magasins, des restaurants et beaucoup de musées. Et tous les ans, il y a beaucoup de festivals. Il y a beaucoup d'activités à Shreveport, et c'est pourquoi j'aime y habiter.

Mes cousins et moi habitons dans une maison grise. Ce n'est pas une maison moderne. C'est une vieille maison. Il y a trois chambres. Il y a aussi un garage pour le camion. Le loyer[1] de la maison est bon marché.

Nous avons un camion pour le travail. Dans le camion, nous avons tout le matériel nécessaire. Nous travaillons six jours par semaine. Nous travaillons tous les jours sauf le dimanche. Nous nous reposons le dimanche.

Tous les matins, mes cousins et moi allons au restaurant pour prendre du café. Le restaurant s'appelle Strawn's Eat Shop. Dans le restaurant, nous parlons avec Charlie. C'est un ami qui travaille au restaurant.

—Bonjour, mes amis, dit Charlie en français.
—Salut, Charlie, je lui dis. Ça va ?
—Ça va bien, merci, dit Charlie. Charlie aime exercer son français.

Charlie nous sert trois cafés.

—Voilà.

---

[1] loyer: to rent.

—Merci, Charlie.

—Amine, est-ce que tu as besoin d'un autre camion pour le travail ? demande Charlie.

—Oui. Nous avons beaucoup de maisons à peindre, je lui dis.

Charlie dit: Mon frère a un camion. Il veut le vendre.

—Ah oui ? Pour combien ? Et où est le camion ? Je voudrais le voir, je dis à Charlie.

—Le problème est qu'il habite à la Nouvelle-Orléans, dit Charlie.

—Combien coûte le camion ?, je lui demande encore une fois.

—Il veut seulement mille dollars, dit Charlie.

—C'est bon marché. Et oui, nous avons besoin d'un autre camion, je dis à Charlie.

—Il faut aller à la Nouvelle-Orléans. C'est possible ? demande Charlie.

—Oui. Je dois y aller dans deux jours. J'y vais jeudi. Merci Charlie.

—Pas de problème, dit Charlie.

Je parle avec Alan et Louis avant de partir pour la Nouvelle-Orléans.

—Je prends le bus, je leur dis. Vous, il faut que vous travailliez[2]. À mon retour, nous allons avoir un autre camion.

Nous sommes très contents. Nous avons beaucoup de travail, mais il nous faut un autre camion. C'est un bon plan.

---

[2] il faut que vous travailliez: you have to work.

Chapitre 4
Michelle

C'est mardi. Je dois partir pour la Nouvelle-Orléans. C'est un voyage de cinq heures. Il y a des paquets spéciaux que j'ai besoin d'apporter au Parc Jean Lafitte à la Nouvelle-Orléans.

Le Parc Jean Lafitte est un endroit important et historique de Louisiane. Avant d'appartenir aux États-Unis, la Louisiane faisait partie de la France et plus tard de l'Espagne. Mais les États-Unis voulaient plus de territoire et avaient acheté la Louisiane en 1803.

Dans le parc national Jean Lafitte, il y a le champ de bataille où il y a eu la dernière bataille de la Guerre de 1812, une guerre entre la Grande-Bretagne et les États-Unis. À cette époque, les États-Unis voulaient augmenter leur territoire et ne voulaient pas de restrictions commerciales. La bataille a eu lieu dans le champ de bataille Chalmette en 1815.

Maintenant, Jean Lafitte à la Nouvelle-Orléans est un parc national. Beaucoup de personnes visitent le parc pour voir la réserve Barataria, le centre de touristes du Vieux-Carré et les centres culturels. C'est un endroit très populaire pour les touristes de la Nouvelle-Orléans.

Ce matin, Marc et moi nous nous préparons pour le travail.

—Marc, j'ai besoin d'aller à la Nouvelle-Orléans aujourd'hui. Je vais rentrer demain, je lui dis.
—C'est bon, Michelle. Tu as un bon livre audio à écouter ?, il me demande.
—Oui. Bien sûr. Est-ce que tu vas parler avec Daisy et Laura ce soir ? je lui demande.
—Oui. Et avec ma maman. Je vais lui parler des documents.
—C'est bon, Marc. Bonne chance. À demain.

Je donne un bisou à mon mari et je pars pour la Nouvelle-Orléans.

Mon mari, Marc, est une personne gentille. Il travaille beaucoup dans un restaurant. Il utilise l'argent de son travail pour ses filles et sa mère en Haïti. Marc et moi rendons visite à sa famille de temps en temps. Le voyage dure environ cinq heures en avion. C'est difficile quand nous rentrons aux États-Unis. Ses filles, Daisy et Laura, veulent rentrer avec nous, mais ce n'est pas possible. Nous avons souvent cette conversation avant de rentrer:

—Papa, quand est-ce que nous habiterons[3] avec vous, avec Michelle et toi ? demande Laura. C'est la plus âgée.
—Oui, papa. Nous voulons habiter avec vous, dit Daisy.
—Bientôt, mes filles. Bientôt, dit Marc.

C'est une situation difficile pour Marc et pour moi. Nous voulons habiter ensemble en famille.

---

[3] habiterons: will we live.

Chapitre 5
Amine

C'est jeudi. Louis, Alan et moi sommes dans le camion. Nous allons à la station de bus sur Central Avenue à Shreveport.

—Tu es prêt, Amine ? Alan me demande.
—Oui. J'ai des vêtements, mon portable, mon argent et ma carte de résident, je leur dis.

La carte de résident est très importante. Après avoir habité aux États-Unis pendant dix ans, j'ai enfin les documents officiels. Je suis résident permanent.

—Bonne chance. On se voit samedi, Louis me dit.

J'entre dans la station et je cherche le bus.

Je n'ai pas grand-chose dans mon sac à dos rouge : deux chemises, des sous-vêtements et des chaussettes. Et bien sûr, une brosse à dents. Le trajet pour la Nouvelle-Orléans n'est pas long, pas comme le voyage que j'ai fait pour aller aux États-Unis. J'ai voyagé avec le même sac à dos rouge il y a dix ans.

Le sac à dos était important pour moi pendant le voyage pour les États-Unis. Et maintenant il est plus important encore parce qu'il a mon portable, de l'argent et ma carte de résident.

J'entre dans l'autobus.

Je m'assieds près d'un garçon. Il est jeune avec les cheveux bruns et les yeux bruns. Il porte un uniforme militaire.

—Salut, me dit-il. Je m'appelle Dave.
—Salut, je lui dis. Enchanté. Je suis Amine. Tu vas à la Nouvelle-Orléans ?
—Oui. Ma famille habite là-bas. Et toi ?, demande Dave.
—Oui, je vais à la Nouvelle-Orléans aussi. Je vais acheter un camion.
—C'est loin pour aller acheter un camion, n'est-ce pas ? me demande Dave.
—Oui. Mais le camion est bon marché.

Dave me pose une autre question, —Est-ce que tu es originaire de Shreveport ?

—Non, je lui dis avec un sourire. Je viens de Guyane française. J'habite à Shreveport depuis dix ans.

—Oh, de Guyane française ? De quelle partie ? Il n'y a pas beaucoup de personnes de la Guyane qui habitent aux États-Unis, dit Dave.

Dave me dit qu'il a un ami de Guyane française aussi.

—Il est de Cayenne , dit-il.
—Je suis de Cayenne aussi, je lui dis.

Pendant longtemps, Dave et moi parlons. Je parle beaucoup de Cayenne et il parle de la Nouvelle-Orléans.

Cayenne est une belle ville. C'est une ville de taille moyenne Le climat est chaud. Le festival le plus important à Cayenne est le carnaval. C'est un festival qui trouve sa place dans la culture guyanaise créole.

—J'aime beaucoup Cayenne, je lui dis.

—Qu'est-ce que tu aimes le plus de la ville ?, il me demande.

—Les gens. J'aime tous les gens de la ville parce que c'est une ville multiculturelle.

Dave est très curieux. Nous parlons beaucoup. Je lui pose des questions sur la Nouvelle-Orléans aussi.

—Dave, c'est ma première fois à la Nouvelle-Orléans. Je vais y être pour un jour seulement. Qu'est-ce tu me recommandes de visiter ?

—Amine, il faut que tu visites le Vieux-Carré et le Parc Jean Lafitte. C'est charmant et c'est un site historique.

—C'est bon. Merci. Maintenant, je vais me reposer un peu, je lui dis.

—Bien. Moi aussi.

Plus tard, après un voyage de plus de dix heures, on arrive à la Nouvelle-Orléans.

—Merci pour la conversation, Amine.

—Merci à toi, Dave, je lui dis. Prends soin de toi[4].

Je vais acheter le camion demain après-midi, donc je vais aller à l'hôtel pour la nuit.

---

[4] prends soin de toi: take care of yourself.

Chapitre 6
Michelle

Dans le camion de FedEx, la climatisation est forte. Il fait chaud au mois d'août en Louisiane. J'ai des bouteilles d'eau et des fruits pour le voyage. De temps en temps, je passe par des villes avec des noms français, comme Lafayette et Grosse Tête. Mais, aujourd'hui je vais directement au sud par l'autoroute 10 pour arriver à la Nouvelle-Orléans.

Là-bas, il y a de la nourriture créole excellente.

Mais d'abord, je dois conduire quatre heures. J'écoute de la musique. J'aime le rap, particulièrement la musique de Wyclef Jean. Il chante la chanson « Don't Leave Me » en français. La chanson en français s'appelle « Ne me quitte pas ». C'est une très belle chanson.

Le voyage pour la Nouvelle-Orléans n'est pas très long. Après Bâton-Rouge où la circulation est intense, je passe par des petites villes sur l'autoroute 10: Prairieville et Sorrento, par exemple. Quelques petites villes ont des noms français parce que dans le passé, la Louisiane était un territoire appartenant à la France, comme Haïti.

Haïti, le pays de Marc et de mes filles, de Daisy et de Laura. Non, ce ne sont pas mes filles biologiques, mais ce sont mes filles. Elles devraient être chez nous aux États-Unis. La mère de Marc aussi. Elle est vieille et il n'est pas toujours facile de s'occuper d'adolescentes.

Les petites villes sur les routes de la Nouvelle-Orléans sont très modestes et elles sont très différentes de Carrefour, où habite la famille de Marc. Carrefour est une ville à l'ouest de la capitale d'Haïti, Port-au-Prince. C'est une ville près de l'océan, comme la Nouvelle-Orléans, mais loin de la Louisiane. Nous devons obtenir les documents pour autoriser les filles à habiter avec nous. Marc et moi parlons toujours de ça.

—Daisy, Laura et ta maman devraient habiter chez nous aux États-Unis, Marc, je lui dis.

—Oui, Michelle. D'accord. Il faut engager un avocat, il me dit.

—C'est bien. Appelons un avocat, je lui dis.

—Ce n'est pas possible, Michelle. Ça coûte beaucoup d'argent.

C'est un problème. Obtenir les documents est un problème et l'argent est un autre problème.

Chapitre 7
Amine

C'est le jour où je vais acheter le camion. J'appelle le frère de Charlie.

—Allô. Wally? Je suis Amine, je lui dis.
—Salut, Amine. Tu vas acheter le camion?
—Oui. Cet après-midi à 5h00, n'est-ce pas?
—Bien sûr. Je t'attends chez moi.
—Bon. Merci Wally.

Je vais au Parc Jean Lafitte, mais d'abord, je marche vers le Vieux-Carré, la partie française de la ville. C'est un quartier très populaire, surtout pour les touristes. C'est un quartier ou il y a des magasins, des restaurants cajuns, des clubs de jazz, des cabarets et d'autres commerces. Ce quartier est près du Mississippi. Il y a une rue célèbre, la Rue Bourbon, où il y a beaucoup de clubs. J'aime visiter la Rue Bourbon, mais je veux aller au Parc Jean Lafitte.

Je marche en direction de l'entrée. J'ai mon sac à dos rouge parce que je ne vais pas me rendre à l'hôtel. Il faut faire attention avec mon sac à dos parce qu'il a mon portefeuille. Et dans mon portefeuille, il y a de l'argent et ma carte de résident. Les deux sont très importants.

J'aime cette partie de la Nouvelle-Orléans. Il y a beaucoup de vieux édifices, comme dans le Vieux-Carré, et il y a des nouveaux édifices comme dans le parc Jean Lafitte.

Le Parc historique national et réserve Jean Lafitte protège les ressources naturelles et culturelles de la région du delta du Mississippi. J'apprends beaucoup de choses sur la réserve naturelle et sur la Nouvelle-Orléans. C'est intéressant. Après avoir passé quelques heures là-bas, j'achète une bouteille d'eau.

Je suis sur un banc dehors et je bois de l'eau quand je vois des filles. Elles sont très jolies. Elles ont les cheveux longs et noirs et les yeux verts. Est-ce que ce sont des sœurs?

Une des filles me dit —Salut. Où est-ce que tu as acheté de l'eau ?
—Salut. Je l'ai acheté dans le magasin, là, je lui dis.
—Merci.

Les deux filles entrent dans le magasin et reviennent avec des bouteilles d'eau, pour elles et pour moi.

Une des filles me donne une bouteille.

—Prends-la, elle me dit. —Il fait chaud.
—Merci, je lui dis. —C'est vrai. Vous êtes d'ici ? Il fait toujours chaud ? je lui demande.
—Oui. Nous sommes de la Nouvelle-Orléans. Je m'appelle Sandra et voici ma sœur Isabelle.
—Salut. Je m'appelle Amine. Je ne suis pas de la Nouvelle-Orléans, bien sûr, je leur dis en souriant.

Après avoir parlé un moment, Sandra me demande —Est-ce que tu as des projets pour l'après-midi ?   Tu veux te promener avec nous ?

—J'ai un rendez-vous à 5h00....

Je prends mon sac à dos et regarde l'heure sur mon portable. —...mais, j'ai le temps. Où est-ce que nous allons ?

—Au restaurant de notre famille. Nous t'invitons. C'est excellent. Allons-y !

Je suis très content d'aller au restaurant avec mes jolies nouvelles amies. Je suis tellement impatient que je ne me souviens pas de mon sac à dos. Je l'oublie sous le banc.

Chapitre 8
Michelle

Après m'être arrêtée à Gonzales, je conduis une heure pour arriver à la Nouvelle-Orléans. Normalement, je conduis plus longtemps, mais aujourd'hui le trajet est court.

Je pense à Carrefour en Haïti. La ville est grande, mais il n'y a pas de bonnes routes et le transport là-bas est un peu difficile. Carrefour est une jolie ville sur la côte nord d'Haïti où beaucoup des personnes qui y habitent travaillent à Port-au-Prince. C'était une ville célèbre pour le tourisme jusqu'à la fin de l'administration de Jean-Claude Duvalier. Comme dans tout le pays, il y fait chaud et humide. Il y a beaucoup d'écoles à Carrefour, mais il y a plus de possibilités à Shreveport pour mes filles. Mais sans argent, les filles ne peuvent pas profiter de ces possibilités. On a besoin de trouver un avocat.

J'arrive au Parc Jean Lafitte avant l'heure de pointe. Je prends les paquets importants et je vais directement au bureau. Ce n'est pas la première fois que je vais à ce bureau. Avant d'arriver à la porte, je vois un sac à dos rouge, sous un banc. Je le prends pour l'apporter au bureau. Mais, d'abord, je regarde à l'intérieur.

Chapitre 9
Amine

Sandra, Isabelle et moi marchons vers le restaurant. Nous parlons de la Nouvelle-Orléans, de nos familles et du climat. Soudain, je dis —Oh, non ! Mon sac à dos ! Je ne l'ai pas !

Je n'ai pas mon sac à dos. Dans mon sac à dos, il y a l'argent, mon permis[5] de conduire et ma carte de résident. Mon dieu !

—J'ai besoin de retourner au banc. Le sac à dos est très important, je dis à mes nouvelles amies.
—C'est bon, Amine, dit Sandra. —Ne t'inquiète pas. Allons-y !

Les deux filles sont très sympathiques. Elles me disent beaucoup « ne t'inquiète pas ». Je ne suis pas calme. C'est un désastre. J'ai besoin d'argent, bien sûr, mais mes papiers d'identité sont encore plus importants.

---

[5] permis: license.

Nous arrivons au Parc Jean Lafitte et nous allons au banc où j'ai laissé mon sac à dos. Il n'est pas là.

Quelle panique !

—Allons au bureau et rapportons le problème, dit Isabelle.
—Oui, dit Sandra. —Allons-y !

*****

—Bonjour monsieur. J'ai laissé mon sac à dos il y a vingt minutes sous un banc. Est-ce que vous l'avez ?
—Non. Je suis désolé, monsieur. Il n'y a pas de sac à dos ici. Pouvez-vous me le décrire ?, me demande-t-il.
—Bien sûr. C'est un sac à dos rouge. Vieux. À l'intérieur, il y a deux chemises, des sous-vêtements et des chaussettes. Et aussi mon portefeuille. Le portefeuille, c'est le plus important. Il y a de l'argent et mes papiers dedans.
L'homme écrit tout sur un papier. —Bon, Monsieur Joseph, on va vous appeler si quelqu'un le rapporte.

—Merci. Merci beaucoup, je lui dis.

*****

Je suis très inquiet et triste. Sandra et Isabelle sont très sympathiques.

—Ne t'inquiète pas, Amine. C'est bien. Nous allons manger dans notre restaurant, dit Isabelle.
—Oui. Nous pouvons aussi appeler notre oncle. Il est policier, dit Sandra. —Il peut t'aider.

Nous marchons trois blocs jusqu'au restaurant créole. Dans le restaurant nous parlons avec beaucoup de personnes, nous mangeons beaucoup de nourriture comme du gombo[6], du jambalaya[7] et des crevettes créoles[8]. Puis Sandra appelle son oncle.

---

[6] gombo: soup made up of a strong stock, meat or shellfish, and the Cajun "holy trinity" of celery, bell peppers and onions.
[7] jambalaya: Creole rice dish with meat and vegetables, typically with sausage, and chicken, pork or shrimp.
[8] crevettes creoles: Creole shrimp.

—Amine, j'ai appelé mon oncle. Il peut t'aider, dit Sandra.

—Merci Sandra. J'ai besoin de contacter l'homme avec le camion. Je ne peux pas l'acheter parce que je n'ai pas d'argent, je lui dis.

Je pars du restaurant et avec mon portable j'appelle Wally.

—Allô, Wally? C'est Amine. J'ai un problème.

Je dis tout à Wally, et il me dit —C'est un grand problème. Ça va. Appelle-moi quand tu trouveras le sac à dos.

—Très bien. Merci Wally.

Je retourne dans le restaurant. Je suis très inquiet.

Chapitre 10
Michelle

Je suis dans le camion de FedEx. J'ai le sac à dos. J'ai besoin de l'apporter au bureau du Parc Jean Lafitte, mais je suis fatiguée. Je décide de rester dans un hôtel pour la nuit avant de rentrer à Shreveport. Il faut que je retourne au bureau demain. Il y a un paquet à rapporter à Bâton-Rouge. Je vais apporter le sac à dos aussi. Je décide de retourner à l'hôtel pour la nuit avant de retourner à Shreveport.

Finalement, j'ouvre le sac à dos. Dans le sac, il y a deux chemises, des sous-vêtements, des chaussettes et un portefeuille. Dans le portefeuille, il y a un permis de conduire, une carte de résident et de l'argent. Beaucoup d'argent.

Je compte l'argent : 1200 dollars. C'est beaucoup d'argent. L'argent qui est nécessaire à payer l'avocat.

Mais je pense aussi à la carte de résident. Amine Jean Joseph qui habite à Shreveport, en Louisiane. Il n'est pas originaire des États-Unis. C'est un immigrant. Comme mon mari Marc. Mais Marc et moi avons besoin d'argent.

Qu'est-ce que je fais ?

Je réfléchis beaucoup pendant que je conduis jusqu'à l'hôtel. L'hôtel est un peu loin du Parc Jean Lafitte, c'est l'heure de pointe et il y a beaucoup de circulation. Je suis inquiète. Marc et moi avons besoin d'argent, mais je pense à Amine Jean Joseph. Il doit être inquiet aussi. Je vais appeler Marc quand je serai à l'hôtel.

*****

Marc vit aux États-Unis depuis neuf ans. Sa famille est d'Haïti, mais il a une autre famille en Louisiane aussi. Haïti était une colonie française pendant trois cents ans. Il y avait beaucoup de problèmes entre les esclaves haïtiens, les colons et les armées française et britannique. C'est le premier pays qui a été fondé par d'anciens esclaves. Et depuis la révolution haïtienne, beaucoup de personnes, des Blancs et des esclaves libres, sont allés aux États-Unis. Et aussi, depuis l'énorme tremblement de terre de 2010, encore plus de personnes ont immigré aux États-Unis. Et puis Marc a de la famille en Haïti et aux États-Unis à cause du tremblement de terre. Incroyable.

Marc a les documents nécessaires pour habiter aux États-Unis. Maintenant nous avons besoin de documents pour ses filles et pour sa mère. C'est un processus très difficile et très long et nous avons besoin d'argent pour payer l'avocat.

*****

A 19h00, j'appelle Marc.

—Salut, mon amour. Ça va ?
—Ça va, Michelle. Et toi ? il me demande.
—Intéressant. J'ai mille deux cents dollars dans un sac à dos.
—Quoi? Comment ?, demande Marc.

Je lui raconte l'histoire du sac à dos, de l'argent et de la carte de résident. Mais, je suis très fatiguée et on ne parle pas longtemps.

Chapitre 11
Amine

Il est 21h00 et nous sommes encore au restaurant. Nous parlons beaucoup et nous continuons à manger. Je suis toujours très inquiet. Mais je suis plus calme quand je parle avec l'oncle des filles.

—Amine, il me dit, —Vous avez un problème, n'est-ce pas?

—Oui, monsieur. J'ai perdu mon sac à dos. Dans le sac à dos, il y a de l'argent et ma carte de résident, je lui dis.

—Un problème, oui. Demain, je vais au bureau au Parc Jean Lafitte. Je vais faire une enquête.

—Merci beaucoup, monsieur. J'ai besoin d'avoir de l'argent pour acheter un camion pour mon entreprise

—Quelle entreprise ?, me demande l'oncle.

—Mes cousins et moi avons une entreprise. Nous peignons des maisons dans la partie nord de l'état.

—Ah oui? Où ? Sandra va habiter dans la partie nord de l'état, me dit l'oncle.

—Nous habitons à Shreveport, je lui dis.

—Oh ! Sandra va travailler dans une école là-bas en août.

Sandra ? La fille très sympathique et jolie ? Elle va travailler à Shreveport dans quelques mois ? Ce n'est pas possible ! Mais je ne dis rien. —C'est intéressant, je lui dis.

J'aime Sandra. C'est une fille très sympathique. Elle est amusante aussi. Nous parlons pendant le dîner.

—Cette nourriture est d'Haïti. C'est un repas typique. Tu aimes ?, me demande Sandra

—Oui. C'est excellent. J'aime beaucoup. Tu ne manges pas beaucoup. Tu n'aimes pas ?, je lui demande.

—J'aime la nourriture haïtienne, mais je n'aime pas les haricots rouges.

—Mais les haricots rouges sont délicieux, je lui dis avec un sourire.

—Pas pour moi. Ma famille dit que je ne suis pas une bonne Haïtienne à cause de ça. Ha ! Ha !

—Ce n'est pas vrai, Sandra. Tu es une bonne Haïtienne. Est-ce que tu vas travailler à Shreveport ?

—Oui ! Je vais travailler comme institutrice dans une école primaire, elle me dit.

—J'habite à Shreveport et j'y travaille aussi.

—Super ! Incroyable!

Sandra et moi passons toute la soirée à parler. Je ne pense pas beaucoup à mon problème.

Soudain, mon portable sonne.

—Allô. Amine ?

—Oui. C'est Amine, je lui dis.

—Je m'appelle Michelle. J'ai ton sac à dos.

Elle ne me dit rien de plus parce que mon portable ne marche plus.

Oh non !

Chapitre 12
Michelle

Pendant une minute, je parle avec Amine, et soudain, rien. Qu'est-ce qui s'est passé ? Je rappelle. Amine ne répond pas.

J'appelle deux autres fois mais sans succès. Je vais le rappeler demain.

Je regarde la télévision à l'hôtel et je pense à ma famille. Marc et moi avons le nom d'un avocat. Il va nous aider quand nous aurons[9] mille dollars.

Je regarde le sac à dos. Maintenant j'ai de l'argent. Mais ce n'est pas mon argent.

---

[9] aurons: we will have.

Chapitre 13
Amine

Nous trouvons un chargeur pour mon portable. Je le charge, mais il est tard. Je décide d'appeler le lendemain matin.

*****

A 7h30 du matin, j'appelle Michelle.

—Salut. Michelle ?

—Oui. C'est Michelle, elle me dit.

—Je m'appelle Amine. Est-ce que vous avez mon sac à dos ?

—Oui.

—Quelle chance ! Merci ! Où êtes-vous ?

—Je suis dans un hôtel. Mais je dois aller au bureau du Parc Jean Lafitte aujourd'hui, elle dit rapidement. —On peut se voir au bureau. C'est bon, Amine. Je vais au bureau à 9h00, elle me dit.

—Excellent. Et merci beaucoup Michelle.

Je suis très content. J'appelle Wally immédiatement.

—Monsieur Wally ? C'est Amine. J'ai trouvé mon sac à dos et l'argent.

Chapitre 14
Michelle

Je parle encore avec Marc ce matin.

—Michelle, ce n'est pas notre argent. Oui, nous en avons besoin, mais ce n'est pas une bonne idée.
—Oui Marc. C'est vrai. Mais comment allons-nous obtenir de l'argent ?
—Ne t'inquiète pas, Michelle. Nous allons l'obtenir d'une autre façon.

Je pars de l'hôtel et je conduis jusqu'au Parc Jean Lafitte. Je veux garder l'argent, mais je ne veux pas le voler à une autre personne. Je veux habiter avec mes filles et ma belle-mère, mais je ne veux pas voler l'argent.

J'arrive au Parc Jean Lafitte. Je regarde Amine. C'est le même homme que sur la photo de la carte de résident, mais aujourd'hui il a un grand sourire. Il est avec d'autres personnes, deux filles et un policier.

Est-ce qu'il y a un problème ?

—Salut, Amine, je lui dis. —Je suis Michelle.

Amine me regarde et il regarde le sac à dos.
Il est très content.

—Enchanté, Michelle. Et merci beaucoup.
—Voici le sac à dos. Il y a tout: les
vêtements, l'argent, le permis de conduire et
la carte de résident. Et le chargeur pour le
portable.
—Le chargeur ! Ha ha !, dit Amine.

Je ne comprends pas, mais je suis encore
inquiète parce qu'un policier est là.

—Et le policier ? je lui demande, un peu
nerveuse.
—Oh, ne vous inquiétez pas. Il est l'oncle de
mes amies. Il m'a aidé avec le problème.
—Oh ! Très bien !

Amine prend le portefeuille et il compte
l'argent. Il prend une partie de l'argent et il
me le donne.

—Michelle, c'est pour vous. Pour avoir été honnête.

—Waow ! Merci, mais je ne peux pas..., je lui dis

—S'il vous plaît. Ces documents sont plus importants que l'argent, dit Amine.

Sandra est contente aussi, mais elle demande à Amine, —Amine, cet argent n'est-il pas nécessaire pour acheter le camion ?

—Maintenant, non. J'ai parlé avec Wally, le frère de mon ami, Charlie, ce matin. Wally veut m'offrir le camion.

—Waow Amine ! Quelle chance !, dit Sandra.

—Oui. Cette expérience est incroyable. Il y a des gens très bien dans le monde.

Je dis à tout le monde, —C'est incroyable ! Mon mari et moi avons besoin de cet argent pour payer un avocat. Ses filles habitent encore en Haïti avec leur grand-mère. Maintenant nous pouvons penser à un nouveau futur. Merci, Amine.

—Merci à toi, Michelle.

—Avec votre permission. Je dois 'appeler mon mari, je leur dis.

Chapitre 15
Amine

Je suis heureux. Très heureux. J'ai mon sac à dos avec mon argent et mes papiers d'identité et Wally m'a donné le camion. J'ai rencontré de nouveaux amis, ici, à la Nouvelle-Orléans.

—Amine, quand est-ce que tu dois te rendre à Shreveport?, me demande Sandra. —Peux-tu passer un autre jour avec nous ?
—Je vais aller chercher le camion cet après-midi, mais oui, je peux passer un autre jour ici, je lui dis.
—Bien, elle me dit avec un sourire. —Il y a d'autres endroits à visiter, si tu veux. Tu aimes l'histoire, n'est-ce pas ?
—Oui, j'aime ça.

Et je t'aime bien aussi, Sandra. Mais, je ne le dis pas encore.

GLOSSAIRE

A

a - has
achète - buy(s)
acheter - to buy
acheté - bought
activités - activities
âgé(e) - age
ai - have
aider - to help
aide - help(s)
aime - like(s)
aimes - like
aise - easy
aller - to go
allô - hello
allons - go
(sont) allés - went
ami/e(s) - friend(s)
amour - love
amusante - funny
anciens - old
ans - years
août - August
appartenant - belong
appartenir - to belong
appeler - to call
appelle - call(s)
appellant - calling
appelons - call

appelé - called
apporter - to bring
apprends - learn
approximativement approximately
après - after
après-midi - afternoon
argent - money
armée(s) - army(ies)
arrêtée - stopped
arrive - arrive
arriver - to arrive
arrivons - arrive
as - have
assieds - sits
attends - wait
au - à + le
augmenter - to increase
aujourd'hui - today
aurons - will have
aussi - also
autobus - bus
autoriser - to allow
autoroute - highway
autre(s) - other(s)
aux - à + les
avaient - had
avait - had

avant - before
avec - with
avez - have
avion - plane
avocat - lawyer
avoir – to have
avons – have

B

banc - bench
basses - lower
bataille - battle
beaucoup – much, a lot
belle - beautiful
(avoir) besoin – to need
bien - well
bientôt - soon
biologiques – biological
bisou - kiss
blancs - white
blocs – city blocks
blonds - blond
bois - drink
bon - good
bonjour - hello
bonne(s) - good
bouteille(s) – bottle(s)
Great-Bretagne – Great Britain

britannique - British
brosse - brush
bruns - brown
bureau(x) – office(s)

C

cabarets - bars
café - coffee
cafés - cafes
cajuns – relating to the Cajuns, communities of French Canandian descent established in Louisiana
calme - calm
camion - truck
camionnette - van
capitale - capital
carnaval - carnival
Carrefour – residential area in Port-au Prince, Haiti
carré - square
carte de résident – resident card
c'est – it is
ce - this
(trois) cents – three hundred

ces – these
cet/te – this
chambres – bedrooms
champ – field
chanson – song
chante – sing/s
chargeur – charger
charmant – charming
chaud – hot
chaussettes – socks
chemises – shirts
cherche – looks for
chercher – to look for
cheveux – hair
chez – at the home of
chose(s) – thing(s)
cinq – five
cinquante – fifty
cinemas – movie heaters
climat – weather
climatisation – air conditioning
colonie – colony
colons – settlers
combien – how many, much
comme – like, as
comment – how

commerces – shops
comprends – understand
compte – account
conduire – to drive
conduis – drive
contacter – to contact
content/e(s) – happy
continuons – continue
contrats – contracts
court – short
crevettes – shrimp
créole(s) – Creole; a language formed by the contact of two languages
cuisine – food
culturelles – cultural
culturels – cultural
curieux – curious
cyclisme – cycling
célèbre – famous

D
d'accord – okay
d'abord – first
dans – in
de – of, from
dedans – inside
dehors – outside

49

demain - tomorrow
demande - asks
dents - teeth
depuis - since
dernière - after
des - of, from
deux - two
devons - must
devraient - should
dieu - god
difficile - difficult
différent/e(s) –
    different
dimanche(s) –
    Sunday(s)
dîner - dinner
directement –
    directly
dis - say
disent - say
dit - says
dix - ten
dois - must
doit – must
donne – give(s)
donné - gave
du – de + le
dure - tough, hard
décide - decides
décrire - to describe
délicieux - delicious
désastre - disaster
désolé - sorry

E

eau – water
école(s) – school(s)
économie –
    economy
écoute - listen
écouter – to listen
écrit - write
édifices – building
elle - she
elles – they (f.)
en – in
enchanté - pleased
encore - still
endroit(s) – place(s)
enfants - kids
enfin - finally
engager – to hire
énorme - enormous
enquête –
    investigation
ensemble - together
entre - between
entrent - enter
entreprise –
    business
entrée - entered
environ - about
époque - time
es - are
esclaves - slaves
Espagne - Spain
est – is

et - and
être - to be
était - was
état - state
États-Unis – United States
été - summer
étudier – to study
eu - had
exemple - example
exercer – to exercise

F
facile - easy
faire - to do
fais - do
faisait - did
fait - does
famille(s) – family(ies)
fatiguée - tired
faut - should
fille(s) – girl(s)
fils - sons
fin - end
finalement - finally
fois - time, instance
fondé - founded
foot - soccer
fort/e - strong
français - French
frère(s) – brother(s)

futur - future

G
garçon - boy
garder - to keep
gens - people
gentille - nice
gombo - gumbo
grand/e - big
grise - gray
gros - big
guerre - war
guyanaise – Guyanese
Guyane - French Guyana
gymnase - gym

H
habitants – inhabitants
habite - live(s)
habitent - live
habiter - to live
habiterons - will live
habitons - live
habité - lived
haïtienne – Haitian
haïtien - Haitian
haricots - beans
hautes - tall
heure(s) – hour(s)

heureux - happy
histoire - history
historique – historical
homme - man
honnête - honest
huit - eight
humide - humid

I
ici - here
identité - identity
idée - idea
il – he
il y a – there is, there are
ils – they (m.)
immigré – immigrated
immédiatement – immediately
important/e(s) – important
incroyable – incredible
inquiète - worried
inquiet - worried
inquiétez - worry
institutrice – teacher
intéressant – interesting

intérieur - interior
invitons - invite

J
j' - I
je - I
jeudi - Thursday
jeune – young
jolie(s) - pretty
joue - plays
jour(s) – day(s)
jusqu'à/jusqu'au – until

L
l' - the
la – the
la-bàs – over there
laissé - left
le - the
lendemain – next day
les - the
lettres - letters
leur - their
libres - free
lieu - place
livre(s) – book(s)
loin - far
longtemps – long time
Louisiane – Louisiana

loyer – to rent
lui - him

M

ma - my
magasin(s) – store(s)
maintenant - now
mais - but
maison(s) – house(s)
maman - mom
mangeons - eat
manger – to eat
manges - eat
marche - walk
marchons - walk
(bon) marché – cheap
mardi - Tuesday
mari - husband
mariage - marriage
matchs - matches
matin(s) – morning(s)
matériel - material
me – me, to me
merci – thank you
mes - my
militaire - military
mille - thousand
minute(s) – minute(s)
moderne - modern
modestes - small

moi – I, me
mois - month
mon - my
monde - world
monsieur - mister
moyenne - average
multiculturelle – multicultural
musique - music
musées – museums

N

naturelle(s) – natural
ne - not
nerveuse - nervous
neuf - nine
ni - nor
noirs - black
nom(s) – name(s)
non - no
nord - north
normalement – normally
nos - our
notre - our
nourriture - food
nous - we
nouveau(x) - new
nouvelle(s) - new
nuit - night
nécessaire(s) – necessary

O

obtenir – to get
occuper – to occupy
officiels - officials
offrir – to offer
on - we
oncle - uncle
ont - have
onze - eleven
originaire - native
originellement –
   originally
ou – or
où - where
oublie - forgets
ouest - west
oui - yes
ouvre - open(s)

P

panique - panic
papa - dad
papier(s) – paper(s)
paquet(s) –
   package(s)
par - by
parc - park
parce que - because
parle - speaks
parler - to speak
parlons - speak
parlé - spoke
pars - leave

particulièrement -
   particularly
partie(s) – part(s)
partir - to leave
pas - not
passe - pass
passer – to pass
passons - pass
passé - passed
patron - boss
payer – to pay
pays - country
peignons - paint
peindre – to paint
peins - paint
peint – paint(s)
peintures –
   paintings
pendant - during
pense - think(s)
penser – to think
perdu - lost
permis - allow
personne(s) –
   person(s)
petit/e(s) - small
peu - little
peut – can
peuvent - can
peux - can
place - square
plus - more
pointe - point

policier - police
populaire(s) – popular
port - harbor
portable – cell phone
porte - door
portefeuille - wallet
pose - asks
possibilités - possibilities
pour - for
pourquoi - why
pouvez - can
pouvons - can
première - first
premier - first
prend - takes
prendre – to take
prends - take
primaire - primary
principalement – principally
problème - problem
processus - process
profiter – to enjoy
projets - projects
promener – to walk
propriétaire - owner
protège - protects
préparons - prepare
puis - then
pétrole – gas

Q

qu' - what
quand - when
quarante - forty
quartier - district
quatre - four
que - that
quelle - what
quelqu'un – someone
quelques - some
qui - who
quinze - fifteen
quitte – leave(s)
quoi - what

R

raconte - tell
rapidement – rapidly
rappeler – to call back
rappelle – call back
rapporte - report
rapporter – to report
rapportons - report
recommandes – recommend
regarde - watch
regarder – to watch
rencontré - met
rendez - return

rendons - return
rendre – to return
rentrer – to return
rentrons - return
repas - meal
reposer - to rest
reposons - rest
représentée –
  represented
responsable –
  responsible
ressources –
  resources
rester – to stay
retour - return
retourne - return
retourner – to
  return
reviennent - come
  back
rien - nothing
rouge(s) - red
rue - street
réfléchis - think
répond - responds

S

sa – his, her
sac à dos - backpack
salut - hi
samedi - Saturday
sans - without
sauf - except

se – him/herself
semaine - week
serai – will be
sert - serves
ses – his, her
seulement - only
si - if
soir - evening
soirée - evening
sommes – are
sœur(s) – sister(s)
son – his, her
sonne - rings
sont - are
soudain - suddenly
souriant - smile
sourire - smile
sous - under
souvent - often
souviens –
  remember
spéciaux - special
succès - success
sud - south
suis - am
sur - sure
surtout - mostly
sympathique(s) –
  nice

T

t' - you
ta - your

taille - size
tard - late
te - you
tellement – so much
temps - times
territoire - territory
tes - your
toi - you
ton - your
toujours - always
tourisme - tourism
touristes - tourists
tous - all
tout/e - all
trajet - path
travail - job
travaille – work(s)
travaillent - work
travailler – to work
travaillons - work
treize - thirteen
tremblement de
terre –
    earthquake
trente - thirty
triste - sad
trois - three
trouve – find(s)
trouver – to find
trouveras – will find
trouvons - find
trouvé - found
tu - you

typique - typical

U
un/e – a, an
uniforme - uniform
utilise - uses

V
va - goes
vais - go
vas - go
vendre - to sell
vers - towards
verts – green
vêtements - clothes
veulent - want
veut - want
veux - want
vie - life
vieille - old
viens - come
vieux - old
ville(s) – town(s)
vingt - twenty
visite - visit
visitent - visit
visiter – to visit
visites - visit
vit - lives
voici - here
voilà - there
voir – to see
vois - see

voit - see
voler – to steal
votre – your
voudrais – would
   like
voulaient - wanted
voulons - want
vous - you
voyage - trip
voyagé - traveled
vrai - true
vélo – bike

Y
yeux – eyes

ABOUT THE AUTHOR

Jennifer Degenhardt taught high school Spanish for over 20 years and now teaches at the college level. At the time she realized her own high school students, many of whom had learning challenges, acquired language best through stories, so she began to write ones that she thought would appeal to them. She has been writing ever since.

Other titles by Jen Degenhardt available on Amazon:

La chica nueva | La Nouvelle Fille | The New Girl
La chica nueva (the ancillary/workbook
volume, Kindle book, audiobook)
Chuchotenango
El jersey | The Jersey | *Le Maillot*
La mochila | The Backpack | *Le sac à dos*
Moviendo montañas
La vida es complicada
Quince | Fifteen
El viaje difícil | *Un Voyage Difficile* | A Difficult Journey
La niñera
Fue un viaje difícil
Con (un poco de) ayuda de mis amigos
La última prueba
Los tres amigos | Three Friends | *Drei Freunde* | *Les Trois Amis*
María María: un cuento de un huracán | María María: A Story of a Storm | Maria Maria: un histoire d'un orage
Debido a la tormenta
La lucha de la vida | The Fight of His Life
Secretos
Como vuela la pelota

@JenniferDegenh1

@jendegenhardt9

@puenteslanguage &
World LanguageTeaching Stories (group)

Visit www.puenteslanguage.com to sign up to receive
information on new releases and other events.

Check out all titles as ebooks with audio on
www.digilangua.co.